Niveau

Texte de Lili Ch...
Illustrations de Mat...

Fanfan joue
à cache-cache

la courte échelle

Les éditions de la courte échelle inc.
160, rue Saint-Viateur Est, bureau 404
Montréal (Québec) H2T 1A8
www.courteechelle.com

Révision : Leïla Turki

Conception graphique : Kuizin Studio

Dépôt légal, 1er trimestre 2013
Bibliothèque nationale du Québec

La courte échelle reconnaît l'aide financière du gouvernement du Canada par l'entremise du Fonds du livre du Canada pour ses activités d'édition. La courte échelle est aussi inscrite au programme de subvention globale du Conseil des arts du Canada et reçoit l'appui du gouvernement du Québec par l'intermédiaire de la SODEC.

La courte échelle bénéficie également du Programme de crédit d'impôt pour l'édition de livres — Gestion SODEC — du gouvernement du Québec.

Catalogage avant publication de Bibliothèque et Archives nationales du Québec et Bibliothèque et Archives Canada

Chartrand, Lili

    Fanfan

    Sommaire : t. 1. Fanfan joue à cache-cache.

    Pour enfants de 6 ans et plus.

    ISBN 978-2-89651-352-9 (v. 1)

    I. Benoit, Mathieu. II. Titre. III. Fanfan joue à cache-cache.

PS8555.H4305F36 2013   jC843'.6   C2012-942202-9
PS9555.H4305F36 2013

Imprimé en Chine

Aux petites peurs

À la découverte des personnages

Fanfan

Fanfan a six ans. C'est un petit fantôme espiègle. Il habite dans un château en ruine. Tout seul, Fanfan s'ennuie. Il rêve d'avoir un ami.

Lulu

Lulu a six ans. C'est une petite
fille coquine et sensible. Elle
voit les fantômes, comme son
chien, Freddy. Elle rêve d'avoir
un ami spécial.

À la découverte de l'histoire

Chapitre 1
Fanfan a peur

Plusieurs visiteurs entrent dans le château. Fanfan adore leur faire peur. Ce que le petit fantôme aime le plus, c'est leur tirer les cheveux !

Les visiteurs ont si peur qu'ils s'enfuient ! Fanfan soupire.
Il s'ennuie, car il est de nouveau seul.

Tout à coup, un «bouh!» éclate dans ses oreilles. Fanfan a si peur qu'il saute au plafond!

Fanfan découvre une
fillette et son petit chien,
cachés derrière un vieux fauteuil.
Elle ne s'est pas enfuie comme
tous les autres !

La fillette rit et dit :
— Je viens de faire peur à
un fantôme !

Chapitre 2
Fanfan s'amuse

La fillette se présente :
— Je m'appelle Lulu.
Et voici mon chien, Freddy.

— Je suis Fanfan. Veux-tu jouer
à cache-cache ? Moi aussi, je suis
très fort à ce jeu-là !

Lulu compte jusqu'à quinze,
puis elle cherche Fanfan. Elle
ne le trouve pas. Avec Freddy,
Lulu monte à l'étage.

Toutes les pièces sont vides ! Soudain, Freddy s'arrête dans le couloir. Il fixe un miroir accroché au mur.

Lulu s'approche et aperçoit
Fanfan, caché dans le miroir !
Il fait une grimace à Lulu.
Elle éclate de rire.

Chapitre 3
La fin du jeu

Fanfan est tout content de lui.
Il sort de sa cachette et déclare :
— C'est à ton tour de te cacher !
Fanfan retourne en bas et
commence à compter.

Au même moment, la porte
grince. Une jeune fille entre
dans le château.

— Lulu, es-tu là ?
Fanfan arrête de compter.

Lulu apparaît avec Freddy,
en haut de l'escalier.
La jeune fille s'écrie :
— Cherches-tu encore
des fantômes ?

Aussitôt, Fanfan lui tire les tresses. Lulu pouffe de rire, car sa grande sœur a peur. Elle sort du château en criant :

— On rentre à la maison !

Chapitre 4

Le secret

Fanfan est tout triste. Il aime bien Lulu. Il ne s'est jamais autant amusé !

Lulu lui murmure à l'oreille :
— Je reviens demain, c'est promis !
Ravi, Fanfan tourne dans les airs comme une toupie.

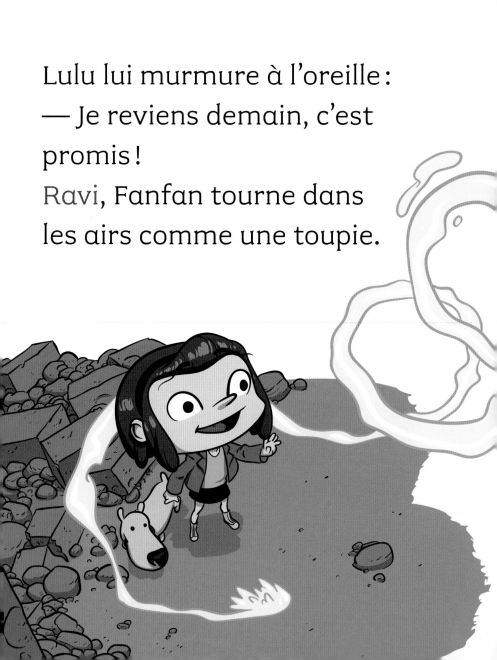

Lulu ajoute :

— Notre amitié sera
notre secret, d'accord ?

Fanfan sourit et dit :

— Je sais aussi garder un secret !

Lulu sort du château.
Sur le chemin, elle se retourne
et envoie la main à Fanfan.
Il répond par un « hou hou hou ! »
géant.

La sœur de Lulu bégaie :

— C'était quoi, ce b-b-ruit ?

— Une chouette, bien sûr !

Une chouette super-chouette !

Glossaire

Bégayer : parler en répétant une voyelle ou un mot.

Grincer : faire un bruit aigu et désagréable.

Pouffer : rire.

Ravi : content.

À la découverte des jeux

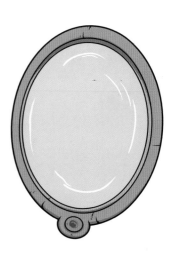

Ta tête de fantôme

Inspire-toi de Fanfan
pour dessiner un fantôme !

Une drôle de rencontre

Comment réagirais-tu si tu rencontrais un fantôme ?

Aurais-tu peur ou éclaterais-tu de rire ?
Et, pour l'effrayer,
que ferais-tu ?

Découvre d'autres activités au
www.courteechelle.com

Table des matières